L'inspecteur Petit mène l'enquête

Auteur : **Antonio G. Iturbe**

Traductrice : **Yvelise Rabier**

Illustrateur : **Àlex Omist**

ÉDUCATION

Maquette de couverture : Mélissa Chalot
Maquette intérieure : Mélissa Chalot
Illustration de couverture : Àlex Omist
Colorisation des illustrations : Simon Sternis
Réalisation PAO de l'intérieur : Médiamax

Title of the original edition: LOS CASOS DEL INSPECTOR
CITO y su ayudante Chin Mi Edo: Un ayudante de mucha
ayuda
© Antonio G. Iturbe (text)
© Àlex Omist (illustrations)
Originally published in Spain by **edebé**, 2007
www.edebe.com

Title of the original edition: LOS CASOS DEL INSPECTOR
CITO y su ayudante Chin Mi Edo: El visitante nocturno
© Antonio G. Iturbe (text)
© Àlex Omist (illustrations)
Originally published in Spain by **edebé**, 2008
www.edebe.com

Crédit des images : fond matière bois pp. 2-4 ;
trombone p. 2 ; paire de lunettes p. 3 ; punaise p. 4 :
© Shutterstock.

ISBN : 978-2-01-786541-4
© Hachette Livre 2019, 58, rue Jean Bleuzen, CS70007,
92178 Vanves Cedex, pour la présente édition.

www.hachette-education.com

Sommaire

L'inspecteur Petit
mène l'enquête   5

L'inspecteur Petit
et le Visiteur nocturne   43

Les policiers

Inspecteur Petit

L'inspecteur Petit n'est pas très grand, mais c'est un des meilleurs policiers au monde ! Pour mener ses enquêtes, il se sert de ses nombreuses loupes. Si l'inspecteur ne suit pas une piste, c'est qu'il mange... car il est très gourmand !

Sergent Chan San Peur

Capitaine Tonnerre

Le fidèle assistant de l'inspecteur est un Chinois. Son calme et sa maîtrise du kung-fu sont très utiles dans les situations difficiles. Avec sa longue natte et sa tenue rouge, il ne passe pas inaperçu !

C'est lui qui dirige le commissariat. Sa mauvaise humeur est légendaire : il est encore plus en colère quand il voit que l'inspecteur Petit fait cuire des saucisses dans son bureau !

L'inspecteur Petit mène l'enquête

Au commissariat central se trouve
le département des Affaires étranges,
mystérieuses et super-difficiles. C'est ici
que travaille l'inspecteur Petit, un des meilleurs
enquêteurs au monde.

En ce moment, il a une affaire très importante
entre les mains : non, il ne s'agit pas d'un vol
ni d'une mystérieuse disparition…
mais d'un énorme sandwich au jambon !

L'inspecteur déteste par-dessus tout
qu'on le dérange pendant qu'il prend
son petit-déjeuner ! La porte de son bureau
s'ouvre. Il est sur le point de ronchonner,
mais il ne dit rien car c'est son chef qui entre,
le capitaine Tonnerre.

— J'étais sur le point de mordre dans
ce magnifique sandwich, Capitaine.

— Ce n'est pas le moment de manger !
J'ai une information importante à vous donner :
la police chinoise nous a envoyé l'un de
ses agents pour qu'il apprenne le métier.
Il sera votre assistant. Vous lui montrerez
vos trucs d'enquêteur.

— Un assistant ? Est-ce que j'ai demandé
à être suivi partout par un Chinois qui
n'y connaît rien ? Il va passer son temps
à m'embêter avec ses questions.

— Il vous accompagnera pendant
une semaine. Et c'est un ordre !

Le capitaine Tonnerre est vraiment
de mauvaise humeur, comme toujours.

Juste après, un grand policier coiffé d'une queue-de-cheval apparaît dans le bureau de l'inspecteur Petit.

— Bonjour ; je suis l'agent Chan San Peur.

L'inspecteur n'a pas très envie de devenir son ami. Mais, pour être poli, il lui demande s'il a pris son petit-déjeuner. Et Chan San Peur lui répond que non, qu'il vient juste d'arriver de l'aéroport.

— Partager ce sandwich me fait plus de mal que si je me coupais une jambe, murmure Petit, mais prenez quand même ce morceau.

Chan San Peur attend que l'inspecteur entame son repas, puis il commence aussi à manger… avec des baguettes chinoises !

— On peut savoir ce que vous êtes en train de faire ? lui demande l'inspecteur

— En Chine, nous mangeons avec des baguettes.

— En voilà une drôle d'idée !

L'inspecteur Petit ne le dit pas, mais il pense très fort que les Chinois sont vraiment bizarres. Passer une semaine avec cet étrange policier va sûrement être un calvaire[1].

---

1. **être un calvaire :** être long et douloureux.

L'après-midi, Chan San Peur attend avec impatience de pouvoir enfin partir en mission avec l'inspecteur.

C'est alors que le téléphone sonne.

— Ici le département des Affaires étranges, mystérieuses et super-difficiles, répond Chan San Peur.

— Vous devez venir tout de suite chez moi. Je suis M. Pleindesous. Mon service en porcelaine très précieux a disparu. C'était un héritage du grand-père de mon grand-père.

Quand il raccroche le téléphone, Chan San Peur regarde Petit et lui demande :

— Qu'est-ce que c'est, un « service » ?

« Ah, ces novices[1], il faut toujours tout leur expliquer ! » se dit l'inspecteur.

— Un service, c'est un ensemble d'assiettes, de tasses, de bols…, lui explique-t-il donc. Mais ne discutons plus de ça : rien que de parler d'assiettes, je commence à avoir faim !

1. **novices :** débutants.

Les deux policiers arrivent devant l'immense maison du millionnaire.

M. Pleindesous leur raconte ce qui s'est passé :

— C'était une collection d'assiettes de toutes les tailles. Il y avait aussi des tasses et des verres très anciens… À l'heure du dîner, le cuisinier est allé les chercher et ne les a pas trouvés. Le pire, c'est que les cambrioleurs ont aussi emporté les serviettes de mon grand-père. Et ça, c'est vraiment horrible !

— Pourquoi ? Elles valaient très cher ? lui demande l'inspecteur.

— Non. C'est parce que j'ai été obligé de m'essuyer la bouche avec ma cravate.

— Nous allons commencer par enquêter dans la cuisine.

— Voici l'armoire en question. Les voleurs ont pris les assiettes, les serviettes et tout le nécessaire pour mettre la table…
Mais ce qui est bizarre, c'est qu'ils ont laissé ce qui a le plus de valeur : les fourchettes, les cuillers et les couteaux en or.
C'est un prince russe qui les a offerts au père de mon grand-père. Les voleurs n'ont pas pris un seul couvert.

— Un cas très étrange…, dit l'inspecteur.

Quelles pièces
du service n'ont pas
disparu ?

Petit sort sa loupe numéro 1 super-grossissante pour chercher une piste.

— Qui aurait pu commettre ce vol, selon vous, Inspecteur ?

— Dans le jardin devant la maison, il y a deux grands chiens de garde. Nul n'aurait pu entrer sans que les chiens s'en rendent compte. Et encore moins ressortir chargé d'assiettes et de tasses !

— Et alors ?

— Monsieur Pleindesous : le coupable est sûrement quelqu'un de la maison. Nous allons parler à toutes les personnes qui travaillent ici, car l'une d'elles est votre voleur.

Petit et Chan San Peur interrogent d'abord
le chauffeur de M. Pleindesous : c'est une
très bonne conductrice qui emmène
son patron partout.

— Dites-moi, Madame : où étiez-vous hier
après-midi ?

— J'étais au garage, en train de vérifier
le moteur de la voiture.

— Est-ce que quelqu'un vous a vue le faire ?

— Je ne crois pas.

— Vous vous y connaissez vraiment
en moteurs de voitures ?

— Oui, bien sûr.

— Vous sauriez me dire, sans vous tromper,
quel est le meilleur moteur entre celui de la
Regeot 700 et celui de la Peunault 007 ?

— Celui de la Peunault 007 est bien meilleur.

— Merci, Madame ; vous pouvez nous laisser
maintenant.

— Vous avez obtenu une information utile,
Inspecteur ? demande Chan San Peur.

— Oui, évidemment. À présent, je peux
conseiller ma tante, qui veut changer
de voiture.

Ensuite, ils interrogent le jardinier. *Interroger*,
c'est le mot qu'emploient les policiers quand
ils posent plein de questions.

Le jardinier est chinois. Il salue
Chan San Peur en inclinant un peu la tête.

— Où étiez-vous hier après-midi ? lui
demande l'inspecteur.

— J'ai travaillé à reboucher un trou avec une pelle, à côté d'un grand arbre. Regardez mes ongles : ils sont encore pleins de terre !

— Et vous êtes content de travailler ici ?

— Très content, Monsieur.

— Merci ; vous pouvez disposer[1].

---

1. **vous pouvez disposer :** « je vous permets de partir. »

Le dernier à répondre à l'interrogatoire est le cuisinier.

— Vous n'avez vu personne entrer dans la cuisine ?

— Non, mais j'ai dû m'absenter une heure pour aller acheter des lentilles.

— Une heure entière pour ça ? Vous les achetez une par une pour que ça prenne autant de temps ?

— C'est que le magasin le plus proche est à plus d'un quart d'heure à pied. Puis-je faire autre chose pour vous aider, Inspecteur ?

— Eh bien, oui.

— Et quoi donc ?

— Deux œufs au plat, s'il vous plaît. Avec tout ça, je n'ai pas eu le temps de prendre mon goûter. Préparez-en aussi pour mon assistant, si cela ne vous dérange pas.

L'inspecteur Petit trempe un morceau de pain dans son jaune d'œuf tandis que Chan San Peur mange son œuf avec ses baguettes.

— Agent Chan, c'est une affaire très difficile. Heureusement qu'ils ont fait appel à moi !

— Pourquoi ? Vous savez déjà qui est le voleur ?

— Non. Je dis ça parce que je suis content d'être ici : on mange des œufs au plat divins dans cette maison.

— Inspecteur…

— Non, maintenant laissez-moi tranquille, Chan San Peur : je dois réfléchir.

— Inspecteur…

— Je vous ai demandé de ne pas me déranger ! Je viens de vous dire que je dois réfléchir à l'enquête, non ? Alors, taisez-vous et prenez exemple sur moi.

— Inspecteur…

— Bon ! Dites-moi ce que vous avez à me dire une bonne fois pour toutes, que je puisse enfin réfléchir à des choses plus importantes.

— Inspecteur, je sais qui est le voleur : c'est le jardinier chinois.

— Et comment le savez-vous ?

— Si quelqu'un vole tout ce qui est nécessaire pour mettre la table : assiettes, verres, serviettes…, seul un Chinois aurait laissé dans l'armoire les fourchettes et les couteaux… Souvenez-vous que nous, les Chinois, ne nous en servons jamais. On mange avec des baguettes !

— Bien vu, agent Chan !

Les deux policiers rejoignent le propriétaire de la maison.

— Monsieur Pleindesous, je vous propose de faire une promenade dans le jardin.

— Dans le jardin ?

— Oui. On va aller à ce fameux grand arbre, celui où votre employé a travaillé hier.

L'inspecteur dégaine sa célèbre loupe-pelle numéro 5 et la donne à son assistant.

— Chan San Peur, allez-y. Voyons voir si nous trouvons un trésor.

Après avoir creusé un peu avec la loupe-pelle, le policier chinois sort quelque chose de rond et…

— Mais… ce sont mes assiettes ! Et on dirait que tout le reste est là ! Comment tout cela est-il arrivé ici ? s'exclame M. Pleindesous.

— Eh bien, ça, c'est votre jardinier qui va nous l'expliquer.

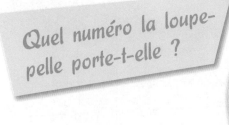

Quel numéro la loupe-pelle porte-t-elle ?

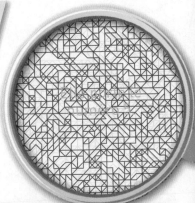

Tout à coup, le suspect prend la fuite en courant.

Il s'est rendu compte que les policiers étaient en train de creuser à l'endroit même où il avait caché ce qu'il avait volé dans la cuisine.

— Regardez ! s'écrie M. Pleindesous, mon jardinier essaie de s'échapper et il a une nappe à la main !

Le fuyard[1] est sur le point de passer la porte du jardin et de disparaître. Chan San Peur, rapide comme l'éclair, sort des étoiles en métal des manches de sa veste. Il les lance avec une telle précision qu'il les plante dans le tee-shirt du jardinier, le clouant contre la porte.

1. **fuyard :** celui qui s'enfuit.

D'où Chan San Peur sort-il ses étoiles en métal ?

35

L'homme regrette beaucoup son geste.

— Je vous demande pardon, Monsieur
Pleindesous ! J'ai fait tout ça parce que ma
famille venait de Chine pour me rendre visite.
Je suis si pauvre que je n'avais ni nappe,
ni assiettes, ni verres pour les recevoir.
J'avais tellement honte… J'aurais tout rendu
après leur départ, je vous le jure !

— Qu'en pensez-vous, Inspecteur Petit ?

— Je crois que votre employé dit la vérité.
S'il avait volé le service pour le revendre, il aurait

aussi dérobé[1] les couverts en or, qui valent
beaucoup plus cher… Cependant, ce que
vous avez fait là est très mal, dit l'inspecteur
au jardinier : vous devez être puni. Vous auriez
dû demander la permission d'emprunter
tout ça. Je propose donc, comme vous semblez
beaucoup vous y intéresser, que vous soyez
de corvée[2] de vaisselle pendant un mois.

_____

1. **dérobé :** volé.
2. **corvée :** travail désagréable.

Les deux policiers dînent dans leur bar favori : *Le Perroquet fou*. Chan San Peur mange du riz, et l'inspecteur Petit une salade géante avec plein de mayonnaise.

— Je dois vous présenter des excuses, Chan San Peur. Au début, je n'ai pas été très gentil avec vous, reconnaît son supérieur. Je ne savais pas que vous aviez tant de connaissances policières.

— Merci, Inspecteur. Mais vous n'allez bientôt plus avoir à vous soucier de former un novice. Je prends l'avion pour la Chine lundi.

— J'étais en train de réfléchir. Il y a de plus en plus de travail au département des Affaires étranges, mystérieuses et super-difficiles. J'ai besoin d'un assistant. Et je ne crois pas pouvoir en trouver un meilleur que vous dans le monde entier. J'ai plusieurs chambres vides à la maison : vous pourriez vous installer chez moi.

Vous aimeriez rester ici… « sergent »
Chan San Peur ?

— Vous me nommeriez sergent ? Quel grand
honneur ! Bien sûr que j'accepte !

— Alors, qu'on apporte une double ration
de salade et de mayonnaise ! Il faut fêter ça !

Et toi, es-tu prêt(e) maintenant à mener l'enquête ?
Cherche les 9 petits bateaux en papier comme celui-là, cachés dans les images de cette histoire.

L'Inspecteur Petit
et le Visiteur nocturne

Le célèbre inspecteur Petit est dans son bureau du commissariat central à contempler[1] sa collection de loupes. Pendant ce temps, le sergent Chan San Peur est assis sur le sol, les yeux fermés.

— On peut savoir ce que vous faites, étalé par terre comme ça, Sergent ?

— Je médite.

— Vous méditez ? Et qu'est-ce que cela veut dire ?

— C'est penser, mais avec les yeux fermés.

— Vous me sembliez déjà bizarre, à manger les œufs au plat avec des baguettes, mais là, c'est le comble !

1. **contempler** : regarder longuement.

Que fait Chan San Peur ?

L'énorme tête du capitaine Tonnerre apparaît
soudain dans le cadre de la porte. Il est de très
mauvaise humeur, comme tous les jours.

— Arrêtez de bavarder et au travail !
Vous devez partir immédiatement
chez une dame pour résoudre
une affaire très étrange.
En route !

Mme Daniela leur raconte, très inquiète, ce qui s'est passé chez elle :

— J'ai entendu du bruit dans la salle à manger cette nuit. Je me suis vite levée et j'ai vu que quelqu'un s'était introduit dans la maison, car la coupe de fruits était tombée par terre. Mais il n'y avait déjà plus personne !

— Et par où est entré ce visiteur nocturne[1] ?

— C'est ça, le plus étrange. Il n'y avait que la fenêtre de la cuisine qui était ouverte : il a donc dû passer par là… Mais nous sommes au cinquième étage ! Comment a-t-il pu monter si haut ?

---

1. **nocturne :** qui vient la nuit.

À quel étage Mme Daniela habite-t-elle ?

L'inspecteur Petit
et Chan San Peur
se penchent
par la fenêtre et
constatent qu'elle est
très haute par rapport
à la rue.

— Il y a cinq étages
entre nous et le sol.

— Oui, et encore
trois étages au-dessus :
donc il est impossible
que le voleur soit
descendu par le toit. Et
il n'y a pas d'immeuble
en face. Il y a juste le
zoo, là, en bas. Qu'en
pensez-vous, Sergent ?

— C'est une affaire très
difficile, Inspecteur. Pour
accéder à cette fenêtre,
il faudrait une échelle
géante, comme celle
des pompiers, ou alors
arriver en volant.

— Vous nous avez dit que quelqu'un était entré chez vous. Mais qu'a-t-il pris ? demande l'inspecteur.

— Ça, c'est un autre mystère. Le cambrioleur n'a rien pris du tout. Mon sac était sur une chaise, avec mon argent dedans, et il n'y a pas touché.

Petit ouvre son manteau et farfouille dans sa célèbre collection de loupes.

— Dans une affaire comme celle-là, je vais avoir besoin de ma loupe numéro 8.

— C'est pour trouver les traces des voleurs mystérieux ?

— Non, Madame. C'est ma loupe-sucette-à-la-fraise. Si je réfléchis en mangeant un bonbon, les idées me viennent plus facilement.

Mme Daniela reste bouche bée[1].

— Maintenant, Madame, nous retournons au commissariat. Si quelqu'un entre à nouveau chez vous, appelez-nous.

1. **bouche bée :** bouche ouverte.

— Sergent, il faut que je réfléchisse.
Je vais essayer votre technique pour méditer,
comme ça, en fermant les yeux.

— Vous voulez vous installer sur le tapis ?

— Non, je suis très bien sur ma chaise.

Tout de suite après, de gros ronflements
se font entendre :

— Rrronn pich, rrronn pich, rrrron pich…

— Vous avez une façon très étrange de méditer, lui dit Chan San Peur.

Mais l'intéressé ne l'entend pas parce qu'il est profondément endormi.

Une heure plus tard, l'inspecteur Petit rouvre les yeux.

— Vous êtes parvenu à une conclusion, Chef ?

— Oui : que dormir sur une chaise, ça met le dos en compote.

Driiing !!!

Le téléphone sonne. C'est Mme Daniela qui leur demande de venir au plus vite chez elle.

Elle leur raconte qu'il est arrivé exactement
la même chose :

— En entendant du bruit dans le salon,
je me suis levée tout de suite, mais il n'y avait
plus personne. J'ai seulement trouvé la fenêtre
ouverte.

— Et la coupe de fruits par terre,
ajoute l'inspecteur.

Puis il sort sa loupe numéro 1
super-grossissante et observe
attentivement la coupe
de fruits.

— Madame Daniela, vous avez mangé
des bananes aujourd'hui ?

— En voilà une drôle de question que vous
me posez là ?! J'ai un gros problème et, vous,
vous perdez votre temps avec des bêtises
comme ça !

— Peut-être ; mais en avez-vous mangé,
oui ou non ?

— Eh bien, non, je n'ai pas mangé de
bananes. Ça fait plusieurs jours que je ne
mange que des pommes. Vous êtes content ?

— Sergent, remettez la coupe de fruits
à sa place et faites une croix sur les bananes
avec la loupe-stylo numéro 4. Ensuite, nous irons
dîner ! Parler de bananes et de pommes,
ça m'a donné faim.

Trois nuits plus tard, l'inspecteur est chez lui, profondément endormi. Et il fait un rêve où il se sent très très bien : il se baigne dans une piscine de crème caramel et fait du surf sur un biscuit géant. Mais le téléphone le réveille en sursaut :

Driiiiiiiiiiiiiiiiiiiiiiiiinnnnnnnnnnnnnnggggg !!!

À quoi rêvait l'inspecteur ?

— C'est Daniela. On est de nouveau entré chez moi !

— Le voleur a fait tomber la coupe de fruits ?

— Oui.

— Attendez-nous dans l'entrée de votre immeuble ; cette fois-ci, nous allons démasquer[1] votre mystérieux visiteur.

————
1. **démasquer :** découvrir.

— Où allons-nous ? demande Mme Daniela.

— Au zoo qui se situe en face de chez vous, répond l'inspecteur.

— Vous ne trouvez pas qu'il est un peu tard pour le visiter ?

— Oui, mais ce sera une visite pleine de surprises.

Où se rendent les trois personnages ?

Ils arrivent à l'entrée du zoo. Le gardien pense qu'ils viennent pour visiter et leur dit que c'est fermé, qu'ils ne peuvent pas entrer, parce que les animaux dorment.

Alors l'inspecteur Petit lui montre sa plaque pour qu'il leur ouvre la porte et déclare :

— Nous, dans la police, on ne dort jamais !

— C'est vrai, sauf pendant la nuit, pendant la sieste, et quelques minutes le matin parfois, lui rappelle Chan San Peur en riant.

L'inspecteur doit sortir
sa loupe numéro 3, la loupe-lampe-de-poche,
indispensable aux enquêtes de nuit.

Ils avancent dans l'obscurité, entre les cages
des animaux endormis.

Comment l'animal peut-il sortir de sa cage ?

70

Finalement, Petit se frotte la moustache, puis le groupe s'arrête devant une cage un peu cassée, qui a un trou d'où pourrait s'échapper un animal.

Dans la cage, il y a un singe en train de manger une banane et, sur le sol, il y a des peaux de bananes avec une croix rouge.

— Exactement ce que je pensais ! s'écrie l'inspecteur. Nous avons ici la solution du mystère. Ces peaux de bananes avec une croix rouge sont celles qui ont été marquées par le sergent, chez vous. Voici donc votre mystérieux visiteur, qui était simplement à la recherche de bananes. Il n'y avait aucun voleur volant… juste un chapardeur grimpeur et très poilu !

— Je préviendrai le directeur du zoo pour qu'il fasse réparer cette cage. Et ce petit singe espiègle[1] ne pourra plus s'échapper, dit le très efficace Chan San Peur.

---

1. **espiègle :** moqueur.

— Très bien, Sergent. Et vous, Madame Daniela, vous pourriez lui apporter des bananes de temps en temps. Parce que, maintenant, votre coupe de fruits va beaucoup manquer à ce pauvre singe. Comme je le comprends…

Au bar *Le Perroquet fou*, les deux policiers sont en train de déguster une belle omelette aux pommes de terre.

— Comment avez-vous su que c'était le singe, Inspecteur ?

— La première fois que nous sommes allés dans l'appartement, il y avait quatre bananes dans la coupe et, la seconde fois, il n'en restait plus que deux. Pourtant, Mme Daniela nous a dit qu'elle n'avait mangé que des pommes. J'ai alors compris ce que cherchait le voleur : j'en ai conclu que seul un singe se donnerait le mal de monter cinq étages pour emporter une banane. Et comme il y avait un zoo juste en face, je me suis dit que notre visiteur nocturne se trouvait sûrement là.

La patronne du *Perroquet fou*,
Mme Marie Mimi, s'approche de la table
des policiers, un plateau à la main.

— Regardez, Inspecteur. J'ai pensé que vous
aimeriez manger en dessert… ces délicieuses
bananes !

— Non, s'il vous plaît ! Pas des bananes, nooooonn !!!

Et toi, es-tu prêt(e) maintenant à mener l'enquête ? Cherche, dans les images de cette histoire, 10 balles de tennis comme celle-ci. Attention ! elles sont très bien cachées.

Achevé d´imprimer en Espagne par Grafo à Basauri
Dépôt légal: Mars 2019 - Édition 01 - 22/4026/0